람풍

b판시선 59

최성수 시집

람풍

도서출판 b

이 시들을 쓰는 동안 나의 뮤즈였던
판 티 람풍Phan Thi Lam Phuong에게

| 시인의 말 |

창궐하는 전염병과
생사의 기로에서 아득한 시간이 지나갔다.

떠돌다 머물면 몸은 병들고
삶은 더 아득해지는 것일까?

세상에는 온통 내려앉는 것 천지다
꽃잎 지는 봄부터 눈 내리는 겨울까지

결국은 흘러갈 것이고
마침내는 깃털처럼 가벼워질 것이다.

나는 다만 그 자리에서 그저 나무처럼 서 있을 뿐이다.

2023 봄
최성수

| 차 례 |

제2부

제3부

제1부

눈동자

젖 떼느라 어미와 갈라놓았던
송아지가 울타리를 탈출했다

목줄을 걸자 송아지는
우리를 한 바퀴 돌며 버틴다

뻗대는 송아지 목줄을 당기다
람풍이 스르르 줄을 늦춘다

스무 살 어린 나이
엄마 곁을 떠났던

송아지 같은 시간이
되살아나서였을까?

송아지도 발을 멈추고
람풍을 물끄러미 바라본다

잠시, 둘의 눈에 눈물이 어렸다

억겁 같은 시간이
순간, 흘러갔다

람풍네 고추 심는 날

람풍네 고추 모종 심는다
코로나가 기승이어도
일 년 농사를 접을 수는 없는 일
씨 묻어 눈부시게 돋아난
저 어린싹들처럼
세상 어두운 시간들 다 물러나리라
믿으며 어린싹 하나씩 포트에 옮기면
괜히 눈앞이 환해지고
온몸에 옴찔옴찔 기운도 오른다
쑥쑥 자라 헤아릴 수 없을 만큼
주렁주렁 희망을 매달고 빛날
어린 모종들 모아놓으니
올 한 해도 저렇게 가지런하리라
그 꿈 매달고 식구들 모여
람풍네 고추 모종 심는다
봄이 횡성쯤에서 서성이는
어떤 맑은 날 하루

룽지중학교

룽지중학교 2학년 3반 교실 문 앞에서
람풍이 고개를 돌린다
졸업조차 하지 못한 그 학교,
선생님과 부둥켜안고 울다
책 보따리 챙겨 나오던
그날이 떠올라서였을까?
스무 살, 물설고 낯선 '한꿔'로 시집온
람풍의 기억 속 그 학교는
영원히 그리운 나라
십육 년 만에 찾아가서도 여전히
아련하게 살아오는 그날
교실 명패를 바라보는 람풍의 눈은 젖어 있다
아이들 재잘거리며 매점으로 달려가는
룽지중학교 왁자한 복도 어디쯤
람풍은 지금도 서 있는 것일까?

살아가는 일이란 늘 자욱한 먼지,
송까이런* 위를 떠다니는 부레옥잠 같은 것

휘청, 계단을 내려오던 그녀의 시선 끝
야자나무 잎을 흔들며
그날이 스쳐 흐른다

* 송까이런(sông cái lớn): 베트남 남부 메콩의 지류인 강 이름. 송은 강을 뜻한다.

천렵 하루

전염병이 아무리 세상을 덮어도
봄은 봄
버들치 잡아 매운탕 끓이고
수수부꾸미 지져
봄달임한다
버들강아지 손 내밀고
냉이 언 땅 뚫고 얼굴 들 때,
봄맛으로 목구멍 한번 씻어줘야
또 한 시절 힘든 농사일 견뎌낸다고
햇살처럼 찾아온 이웃들
골짜기 더욱 나긋나긋해지고
살금살금 꽃망울도 몸 불린다
올해사 고추금이 좀 오를라나,
브로콜리도 제값이나 받아야 할 텐데,
로타리 치고 두둑 갈 날 기다리며
천상 농사꾼으로 태어난 순한 사람들
그 얼굴처럼 봄은 또 오고
바람도 싱숭생숭 마음 들뜨게 하는

어느 해 봄맞이

천렵 하루

엄마의 바다

그물질하는 엄마의 바다에서
아이들은 자란다

서너 시간의 노동에
수확은 겨우 한 양동이

엄마는 그물 속 고기보다
아이 웃음에 기쁘고

아이는 물놀이보다
엄마의 눈길에 신나는

무이네* 바닷가
찰랑이는 물살은

아이들의 놀이터
엄마의 일터

* 무이네(Mui Ne): 베트남 남부의 지명.

안방 마을 유치원

호이안Hoi An 바닷가 안방 마을
유치원에 아이들 소리 명랑하다.

소리에 끌려들어선 교정
수돗가에 가지런히 걸린 물컵과 노란 수건들이
아이들의 미래처럼 빛난다.

풀로 엮은 임간교실 지붕
햇살에 눈부신 그 유치원.
담벼락 아래에도 노랗게 웃는 꽃.

선생님도 아이들도 다 교실에 있어
만나보진 못했어도 눈에 선하다,
보나 마나 햇살보다 더 환하게 웃는 얼굴들

타작 밥도 없이

종우네 벼 베는 날,
바람은 자고 하늘 맑다
물 대고 모심어 백오십 일
길고 짧은 시간이 흘러갔다
햇빛 본 날 손으로 꼽을 만치 적었어도
모는 자라고 볍씨를 달아 키웠다
평년작도 못 되는 수확이지만
벼 베는 날은 괜히 마음 풍성했다
'예전 같으면 벼 베는 놈 열다섯에
구경꾼 스물은 모였을 거여, 이 정도 논이면.'
구경꾼도 다 밥 주고 술대접했다는
그 타작 밥은 사라지고,
크림빵 하나에 딸기우유 한 팩이 채운 자리
콤바인 모는 람풍 신랑, 벼 받는 람풍과 논 주인 종우
달랑 셋으로 한 시간 만에 다 베어버린 두 마지기 논
이른 타작이 신기해 온 구경꾼 두엇이
낱알처럼 모여 농사일 수다 몇 마디 하니
종우네 흉년 벼농사는 끝났다

타작 밥도 타작 술도 없이
푸대 실은 트럭은 정미소로 떠나고

나락을 벗어버린 볏짚들만
텅 빈 가을 벌판을 지키고 있었다

우리 동네 드러머

미쩌우 막내 정민이 드럼 친다
하루 종일 논에서 고추밭, 배추밭까지
종종걸음으로 움직여도 할 일은 태산인
엄마 아빠는 늦은 밤에나 마주치는 사람
휴대폰 대신 사 달라 졸라
겨우 마련한 하급품 드럼이지만
두드릴 때마다 온몸이 떨려온다
시끄럽다며 할머니는 귀를 막아도
정민이, 신나서 드럼 친다
느린 건 재미 없어요,
빠른 박자가 마음을 울려요
머리를 흔들며 몸을 건들대며
비트에 빠지면 아빠도 보이고 엄마도 보여요
뙤약볕 속에 구부러져 고추 따는
아빠가 춤을 춰요
쩌우덕* 친정집 간 엄마는
짬나무 물길을 따라 흘러가요
드러머가 꿈인 초등 5학년,

‘내가 사랑한 그 모든 것을 다 잃는다 해도’**
그 꿈을 포기할 수는 없다는 헤비 드러머 정민이
오늘도 쉬지 않고 드럼을 두드린다
그 소리에 벼 이삭 여물고
배추 통 굵어진다
베트남 엄마와 한국 아빠의 땀방울도
송알송알 익어간다

* 쩌우덕(Chau Doc): 베트남 남부의 지명.
** 신해철 노래 〈그대에게〉의 한 구절.

비닐하우스 콘서트

민정이 노래한다
학교는 오래 문을 닫고,
봄꽃 발그레 얼굴 달구는 어느 날
비닐하우스 귀퉁이에 야전 침대 갖다 놓고
감자 눈 따는 엄마 곁에서 새처럼 목청 높인다
눈 따 놓은 감자가 산처럼 쌓일 때
민정이 노랫소리는 개울물처럼 흘러간다
한쪽에서는 고추 모가 빛나고,
브로콜리 모종은 심을 때를 지나 웃자라는데,
갈 곳도 없고 놀 벗도 없는
산골 비닐하우스에 차려진 야외 콘서트장
'그대 내게 오지 말아요
두 번 다시 이런 사랑 하지 마요'*
그 노래를 눈 따놓은 감자들이 반들거리며 듣는다
언제 열릴지 모르는 학교 문도
금방 피어날 진달래 꽃망울도
민정이 노랫소리에 아득해진다
슬픔보다 찬란한 하루

고추 모종과 눈 딴 감자가 따라 부르는
산골 소녀, 중학교 2학년
베트남 새댁 람풍 딸 민정이의 비닐하우스 콘서트에
봄날은 하염없이 저문다

* 엠씨 더 맥스의 노래 〈어디에도〉의 한 구절.

민정이네 저녁노을

코로나19로 오래 쉬었다고
군청과 교육청에서
민정이네 집에 보내온
농산물 꾸러미

꾸러미 속에는
쌀, 상추, 고춧가루에
브로콜리까지

브로콜리 선별 작업하던
민정이 엄마 람풍의 손이
잠시 웃는다

상자를 열던 민정이 손도
같이 웃는다

원가에도 못 미치는
브로콜리 가격에 체한 속이

쑥 내려간다

민정이네 집에 오늘따라
저녁노을 환하게 붉다

앵두꽃 필 무렵

못자리하던 투하,
앵두꽃 그늘에 앉아 숨 고른다
머리에 얹은 농라로 그리움을 감추고
물끄러미 바라보는 모판은
메콩강가의 논바닥을 닮았다
스물한 살에 시집와
아들 하나 낳고 기르는 사이
열네 해가 먹먹하게 흘러갔다
앵두꽃 필 무렵 풍히엡*에는
망고 익고 두리안 향기 날리리
앵두꽃 아래서 고향 생각하는 순간
꽃잎이 얼굴 위로 흩날린다
그리움도 저렇게 팔랑팔랑 흔들리며 오는 법이려니,
꽃그늘에 멍하니 앉아 있는 사이
봄바람은 불고,
앵두꽃은 바람에 향기를 섞는다
투하,** 그 이름처럼 베트남댁 마음에
가을이 내려와 있다

* 풍히엡: 베트남 남부 메콩 하류 지역.

** 투하: 가을이 내려오다[秋下]라는 뜻의 베트남 이름.

틈새

고추 심기 끝나고, 모내기도 마치면
잠시 숨 돌리는 농사일
이런 날 마지막 남은 콩으로
태현이 어머니 두부 만든다
콩 심었으니 묵은 콩은 두부나 해 먹자며,
농사꾼 팔자 이런 날도 있어야 휜 허리 편다고
장작불 지피고 콩 갈아 익히는 동안
유월 햇살은 맑고 푸짐하다
고추 곁순 따고, 피사리에 참깨 들깨 심다 보면
삼복더위도 남의 집 제사마냥 지나갈 터이니,
헥헥거리며 가을걷이까지 달려갈 숨찬 길이 앞에 남았어도
오늘 같은 날 두부 한 모, 순두부 한 양푼 없이 어찌 넘기랴
간수 넣고 살살 저으면 엉기는 두부처럼
아들 친구들 기운 차려 힘든 농사일 잘 넘으라고
태현이 어머니 두부 쏜다
만사태평, 농자천하지대본

바쁜 들일 틈새의 한가한 하루가
몽실몽실 두부처럼 흘러간다

두 여인

투하, 저것 좀 봐
고추 지지대 위 손톱만 한 흙도 땅이라고
비집고 뿌리내린
풀이 불쌍하지 않아?
너나 나 닮지 않았어?
물설고 낯설은
한국하고도 강원도 이 산골이
어쩌면 우리에겐 저 고추 지지대 끝
흙 한 줌 같은 곳 아닐까?

람풍이 고춧대 끝에 매달린
풀을 쓰다듬는다
고추 따다 흙 묻은 손 털지도 않은 채
투하도 아련한 눈길을 얹는다
두 베트남댁 눈가에 이슬이 맺힌다

바람 한 점 없는
첩첩 산골 하늘만 눈부시다

대구對句

우리 동네 베트남댁
봄부터 허리 펼 날 하루 없더니

벼 베는 날
파란 하늘, 노오란 들판 사진을 보냈다

'가을 가을 가을'
내 답장에 바로 달아 보낸 답글
'고생 고생 고생'

그대로 한 편
문장이다

박새 날다

람풍네 하우스 작업장 헌 박스 틈에
박새가 알을 낳았다
산더미같이 따 온 고추를 선별하는 사이
어미 새는 애가 달아 하우스 밖을 서성거린다
베트남 남쪽 먼 땅에서 날아온
람풍과 투하, 그들의 생도 저 새들 같은 것이었을까?
고추 고르는 손이 자꾸 허방을 짚는다
둥지를 떠나 낯선 세상으로 날아갈
아직 태어나지 않은 박새 새끼처럼
람풍도 투하도 마음 시린 어느 날 메콩을 떠났다
통하지 않는 말보다 와닿지 않는 사람살이가
더 막막했던 시간들을 지나
서로 마음 기대며 친자매처럼 살아가는,
두 베트남댁 손길에
따 온 고추들 가지런해진다
올망졸망 박스 안 박새들도 깨어나 어슷비슷 살아갈 것이
다
그러니, 근심하지 마라, 상처받지 마라

람풍과 투하가 고추 고르다 자꾸 박새 둥지에 눈길을 건넨다

만물 고추가 박스에 하나하나 담기는 사이
두 베트남댁도 새가 되어
훨훨 메콩 언저리를 날고 있다

두부 쑤는 날

태현이 어머니 두부 쑨다
진눈깨비 푸슬푸슬 내리는 날
대낮에도 저녁인 듯 사방 어둑한데,
발갛게 타오르는 장작불
가마솥에서는 콩물이 끓고
구수한 냄새는 눈발을 뚫고 옛날로 달려간다
간수를 넣고 나무 주걱으로 살금살금 저으면
가마솥 안에서 펼쳐지는 하늘
구름이 자라고 바람이 흐르고,
지우며 걸어온 시간이 살아난다
초두부 한 사발에는
어린 날 엄마와 함께 돌렸던 맷돌 손잡이가 있고,
비지 거름으로 자라 하늘 끝에 닿던 나팔꽃이 피어 있다
엉긴 초두부 삼베 보자기에 싸 누르면
눈부시게 피어나는 두부 한 판
묵은 김치와 파 총총 썰어 넣은 간장과
수수 고추장 한 점 따위와 궁합이 맞는 이것은
된장, 막장과도 어울려 깊고 푸근하고 아득해진다

눈발 오지게 퍼붓는 겨울에 더 따스해지는 두부
콩 씨 넣고 싹 돋워 키운 한 세상이
두부 한 모에 그득하다

백발의 태현이 어머니
아들 친구 먹이려 두부 쑤는 날
찬바람도 어는 입김도 외려 따스하다
흐린 하늘조차 넉넉하다
우리가 걸어온 팍팍하고 먼 시간조차
더없이 아득하니 그립다,
두부 쑤는 쇠죽가마 곁에서는

달빛슈퍼에는 봄이 오지 않는다

햇빛 부동산 옆에는
달빛슈퍼가 있다
한적한 지방도 한구석
과자나 소주, 맥주 몇 병 놓아두고
하루 종일 오지 않는 손님을 기다리던
달빛슈퍼 주인은 젊은 아낙
두어 살 되었을 법한 아이 하나 데리고
낯선 시골구석에 자리 잡았을 사연은
첩첩 앞산 머리에 걸어둔 채
봄부터 가을까지 견뎌냈다
농번기 동안 심심치 않게 드나들던
외국인 노동자들도 다 떠난 겨울
달빛슈퍼는 출입문에 종이 한 장 붙여놓고
휴업에 들어갔다
"봄에 열어요"
아낙을 닮아 단아하고 수수한 글씨는
겨우내 바람에 흔들리고 햇볕에 낡아갔다
버들잎 돋고 진달래 곱게 피는 봄이 와

떠났던 외국인 노동자들이 다시 돌아와도
달빛슈퍼의 문은 열리지 않았다
아이는 잘 크고 있는지
볼우물에 잠기던 순한 웃음도 여전한지
소식조차 없이 봄이 이울고
고단한 농업 노동을 맥주 한 모금으로 씻으려
터벅터벅 찾아온 외국인 노동자들은
가게 앞에 서서 빛바랜 안내 종이를
멍하니 바라보곤 했다

봄이 지나고 또 가을이 깊어져도
달빛슈퍼에는 끝내 봄이 오지 않았다

나가사키

설 쇠러 큰집 가다 고속도로 휴게소 들른
우리 동네 베트남 새댁
첫 아이로 부른 배 움켜쥐고 라면이 당겼단다
같이 간 시누이
'나가사키가 맛있어요.'
모두들 입 모아
'나가사키 좋아. 나가사키 먹자.'
그 말 들은 베트남댁 어렵게 눈치 보며 입 열었네
'추운데 왜 나가서 먹어요. 난 싫어요.'
나가사키가 '나가서'가 되는 사이
새댁 얼굴은 발그레해지고,
사람들 배를 쥐고 뒹굴었지
그 식구들 웃음소리 휴게소 하늘로 퍼져
새댁 고향 메콩까지 흘러갔을까?
첫딸 낳고 어느새 십오 년
나가서가 나가사키 짬뽕으로 자리 잡는 사이
뱃속 아이는 웃음소리 맑은 중1이 되었네
나가사키, 나가사키 소리만 들으면

그 새댁 지금도 얼굴 발그레해지네

람풍의 샤머니즘

깨를 털고 빈 들을 바라보던 람풍이
주섬주섬 깔개를 걷고 돌아서며
저녁노을같이 속삭인다
"논아, 깨야, 고마워.
깔개야 너도 하루 동안 수고 많았어.
내년에도 부탁할게."

국도 확장에 편입돼 없어질 배추밭에서
쌈배추를 따고 일어서던 람풍이
배춧잎 수북한 밭을 무연히 바라보다
해 뜰 무렵 이슬 같은 말을 건넨다
"그동안 고생 많았어, 배추밭아.
이젠 편히 쉬어. 땀비엣Tam biệt"*

그녀의 신은 세상 어디에나 존재한다
밥 주는 소도, 여무는 고추도, 옥수수꽃을 흐르는 바람도
다 그녀의 신이다
신은 친구다, 그 자신이다

볏짚을 실은 트럭 창 너머로 오늘은
대설의 신이 손을 내밀었다

람풍의 하루가 또 신성으로
가득 차오른다

* 땀비엣(Tam biệt): 베트남의 작별 인사.

입동에 감자를 고르다

입동에는 김장도 담그지 않는다니
배추를 씻는 대신 감자를 고른다
벌써 얼어버린 녀석들은 골라내고
하지 무렵부터 웅송그리며
사상 최장의 우기를 견뎌낸
통통하고 동글동글한 감자들만 골라 담는다
캐낼 시간조차 주지 않고 줄기차게 비가 내려
잠깐 햇살 틈에 감자골에 그대로 배추를 심었다
농사야 사람이 짓지만
키우고 익히는 건 하늘의 뜻이니,
어쩔 수 없이 배추 다 뽑고 나서야
감자를 캔다
어차피 늦었으니 입동이면 어떠랴
배추금 좋았으니 덤으로 얻은 수확이라 여기며
골라 담는 감자는 초겨울 햇살처럼 나른하다
저것들 실어 보내면 이제
한 해 일손도 접을 것이다
눈알 반짝이며 상자 안에서

몸 부둥켜안고 먼 길 떠나는
감자알들처럼
겨우내 우리도 바투 붙어 앉아
봄을 기다릴 것이다
감자를 고르며
덤으로 얻어질 겨울의 긴 휴가를 기다리는
입동의 햇살은 아득하고 맑다

들깨를 털면서

들깨를 턴다
벼 벤 그루터기만 남은
텅 빈 논에서,
채우는 일의 끝은 비우는 일임을
도리깨질하다 문득 깨닫는
어느 바람 부는 늦가을날
들깨를 턴다
논두렁에 심은 깨는
빗소리를 내며 떨어진다
고소한 내음이 빈 들을 채운다
석 달 열흘 비 내렸어도
이토록 진한 향기로 오는 가을은
얼마나 쓸쓸하고 눈부신가

생의 우여와 곡절을 흘러온
강물 하나, 이렇게 저문다
저물고 저물다 텅 비어 마침내
하염없이 막막해지는

어느 가을날
들깨를 턴다

농라 하나

고추 지지대 혼자
쓰고 서 있는 농라

석 달 열흘
비만 내리는데

두고 온 고향 생각에
저 홀로 젖어가는

강원도 첩첩
산골 비탈밭

농라
하나

논바닥 운동장

점심시간, 아이들이 몰려나왔다

고무줄 팔짝팔짝 넘는 너덧 옆
머리 맞대고 무슨 일 꾸미는 녀석들
공을 몰며 그 틈을 헤집는 사이
잎 지는 나무 멍하니 바라보는 아이
재잘재잘 이야기 소리
바람 부는 운동장 너머로 흩어지는데

멀리서 물끄러미 바라보면
모두들 그 순간에 머물러 풍경이 되고 있다

벼 다 벤 논바닥
여기저기 흩어져 가을을 맞는
볏짚 운동장

제2부

물레나물꽃

생은 바큇살 하나씩
떼어버리며
저 홀로 흐르다
스러지는 것

나리꽃

나리꽃 피었다

하늘 보고 피면 하늘나리
땅을 보고 피면 땅나리

나는 왜 그리운 것도 없이
하늘을 볼까

부끄러움도 모르고
고개를 숙일까

잠자리와 상사화와 칠월 어떤 갠 날

이제 그만 일어나라고
잠자리를 톡톡 건드리는
상사화

서슬에 토끼잠 깨
기지개 켜는
잠자리

비 온 뒤 비로소
청정해지는

칠월 하늘

순댓국집 수선화

강림 순댓국집 마당에 수선화 피었다
엊그제 봄눈이 함빡함빡 퍼붓더니
고양이 등짝만 한 마당 귀퉁이
먼저 온 햇살 안고 꽃망울 터트렸다
봄은 이렇게 먼저 보라고
수선화 노오란 빛으로 오는 법이지
순댓국집 지나 반나절 거리쯤에서
제자인 왕을 속여 달라 부탁하고 산으로 들어간
운곡*의 걸음을 닮았을까
운곡의 부탁대로 왕을 속이고 깊은 물**에 몸 던진
노구할미 몸짓을 닮았을까
점심 차 왔던 봄 일 바쁜 농부들
굽은 허리 휘청이며 사라진 길 아득하게
강림 순댓국집 마당 귀퉁이
눈부시게, 눈물겹게 수선화 피었다

하염없이, 하릴없이 봄날은 간다

* 운곡(耘谷)은 고려말 학자, 문인인 원천석(元天錫)의 호. 태종 이방원이 그의 제자다. 왕이 된 후 스승을 찾아온 태종을 피해 몸을 숨겼던 일화가 강림면에 태종대와 노구소로 남아 있다.

** 노구소: 강원도 횡성군 강림면에 있는 소(沼). 태종을 속인 노파가 빠져 죽었다는 못.

숲속은 봄날

처녀치마 찾으러
앞산 골짜기 헤맸더니

몇 해 전 고운 치마들
자취도 없고

남산 제비꽃만
소복하니 햇살에 누워 있네

산괭이눈 몇 마리
눈알 또록또록 굴리고 있네

갈 사람은 가고
새 꽃잎들이 그 자리에 피는

숲속은
봄날

금계국

헤아릴 수조차 없을 정도의
병아리들이

햇살을 타고
하늘로 올라가고 있었다

눈부신 햇살이
병아리들을 향해
손 내밀고 있었다

남녘,
어느 바다의 아이들이었다

유월

바람이 없어도
꽃은 지네

슬픔이 없이도
나는 늙어가네

숲은 시리고
햇살은 나른한데

난분분 난분분
꽃눈 흩날리는

유월

달개비

달개비, 달개비
닭장 뒤 풀섶에 피던
파란 기억의 꽃

소리개 뜨면
바들바들 떨며
닭들이 숨어들던
달개비 풀숲

달개비, 달개비
아픈 몸 끌고
골짜기 깊이 들어온 내게
천천히 천천히 숨으라 속삭이는
먼 기억 속의

그 꽃

귀룽나무는 봄

이 길을 지날 땐
차 창문을 열어야 한다

뭉글뭉글
밀려오는 꽃내음

콧구멍은 벌름거리고
마음은 둥실둥실 피어오른다

귀룽나무가
봄이지, 봄이야
코에다 소곤거린다

먼 그대

산에는 겨울꽃

바다에는 시린 파도

마음은 한자리

몸은 천리 밖

그대 없어도 겨울은 와서

하염없이 기다리는 낮달만 차다

간지럼

꽃이 웃는다

나비가 옆구리를,
잠자리가 목을
간지럽혔다

바람이 지나가다
같이 웃었다

삼월, 눈

아직 털어내야 할
어깨가 남았다고

나무는 자꾸 흔들리고

이제 견딜 수 없는
무게라고

나는 점점 아득해지고

봄

오늘 아침도 얼었다
얼었으니 녹는다

녹아야 봄이다

소녀

감자꽃 피었다

얼굴 하얗던,
하루 종일 말없이 앉아 있던

그 아이가 밭에서 울고 있다

천장터에서

구름은 구릉 위에 머물러 있었다

천천히 걸어도 숨이 차는 고산의 오르막
여린 풀꽃들이 내 발목을 잡았다
코앞인 듯 가깝지만 손 내밀어도 닿지 않는 곳
걷다가 멈추었다 다시 걸어도 길은 늘 그 자리였다
이승과 저승의 경계는 가깝고도 먼 것일까?
바람은 꽃이고 꽃은 바람인 것일까?
곧 스님학교에 입학할 예닐곱 살 아이들 두엇은
야생화 꽃밭인 천장터를 제 집마냥 내달리고 있었다
랑무스, 랑무스* 중얼거리며 숨찬 내 안의 나를 다독거리고
천장터에 올라 뒤돌아보면
내가 걸어온 길은 조그맣고 부드럽게 휘어진
야생화 꽃밭 속에 버무려져 있었다
저런 길을 걸어 이르는 것이 삶의 끝이라면
이승도 살아볼 만한 것이리
여린 풀꽃에 마음을 기대보는 순간

얼굴 새까맣게 그을린 아이들은 야생화 같은 웃음을 터트리며
천장터를 헤집고 내달렸다
희고 붉고 샛노란 꽃잎들이 마구 흔들리는 꽃 무더기 속에서
아이들처럼 검게 그을린 해골과 뼈들이 함께 웃는 천장터
느긋한 구릉, 따가워서 아득한 햇살,
그저 멍하니 머물러 있는 눈부신 하늘과 구름

랑무스 천장터에서 세상 모든 존재는
다 시작이고 끝이고

어느 길모퉁이에 머물러 있을 뿐이다

* 랑무스(郎木寺): 중국 쓰촨성과 간쑤성 사이에 있는 사원. 해발 3,400미터에 있는 작은 마을로 티베트족 자치주이다.

박꽃 필 무렵

그 교실에 들어서자
하얗게 박꽃이 피어났다

아버지 잃고
닷새 만에 온 그 아이

깊은 슬픔은
그저 박꽃처럼
가만히,

어딘가를 바라보는 것이다

둥지

눈 내린 날,
나무 위 저 빈집에 깃든
햇살 한 줌

세 한 푼 없이
겨울을 나는

지상의 방 한 칸

시월

푸르던 날은 아득하네
깊디깊은 가을에 빠져

나는 허우적거리네

부부

낡은 전찻길 옆으로
두메양귀비 피었다

저 꽃은 철길의 긴 세월을 모르고
쇠로 된 길은 꽃의 봄날을 모른다

나는 너를 모르고
너는 나를 알지 못한다

모르면서 우리는
긴 시간을 함께 살고 있다

저 전찻길처럼
저 두메양귀비처럼

세상 끝의 그 역, 치와타

비가 내려서
낡은 역사 안은 온통 눅눅하다

천천히 그 풍경의 문을 밀면
창문만 한 출구
그 너머엔 바다

철길은 기차를 끌고
물속으로 사라진다

제복을 입은 역무원은 없고
꽃집을 열어놓은 대합실 한 켠
붉은 꽃잎 같은 옷을 입은
아가씨가 환하게 웃고 있었다

시간은 멈추고
비는 내리고

어디 먼 먼 세상 끝으로
치와타역은 흘러가고 있었다

* 치와타역(千綿駅): 일본 나가사키에서 사세보로 가는 오무라선에 있는 작은 역.

구월

나무들 띄엄띄엄 물러선다
하늘 주춤주춤 멀어진다

떨어져
서로를 바라보는
시간

갈비뼈 사이가 성글다

백로에

물봉선화 피었다
진다

이슬처럼 흰
머리카락 날린다

찬비마냥 떠났다
함박눈으로 올 그대를 기다리는

백로 날
저녁

11월

허공에 칼금을 그으며
잎들은 지상으로 내려앉는다

가을 숲은 온통
상처투성이다

돌아보니
내가 걸어온 길은
낡은 갈색으로 바스러지고 있었다

산 너머 겨울

동치미를 담갔다
앞산 물든다

냉면 사발에
잎 진 나무 어른거리는

겨울밤이
능선 너머에 와 있다

까마귀와 할머니

가아가아가아가아
가아가아가아 가

까마귀가 낙엽송 위에서 소리쳤다

‘안 가, 다 캐야 가지’

더덕 캐던 할머니가
눈도 돌리지 않고 까마귀에게 말했다

까마귀는
풀쩍 날아 숲으로 가버렸다

더덕 향기가
낙엽송 가지 끝에서 출렁였다

제3부

낡은 집

빛바랜 햇살 몇
소곤거리다 간
마당

가랑잎들만 떨어져
뒹굴고 있다

바람 따라 떠난 이들
어느 먼 땅을 헤매고 있을까?

기억들만 남아
바스러지고 있는

낡은 집에
가을이 깊다

청국장

청국장에는 제 이름조차 바꾸어야 했던
슬픈 우리 그림자가 있다
삼전도에서 내키지 않는 고개를 조아렸던
왕의 굴욕보다 더 더 아리게
원래의 이름을 버리고 그들의 이름으로 옮겨 타야 했던
푸르디푸른 그림자가 어려 있다

청국장에는 고단한 굽이를 흘러야 했던
어머니의 아련한 그림자가 있다
삶은 콩을 찧고, 아랫목에 이불 덮어 띄우던 어머니,
삶은 콩 시루에 꽂았던 볏짚은
어머니, 당신의 그림자 같은 것이었을까?

청국장을 먹으면 나는 지금도
그림자 하나 떠올린다
긴 시간을 흘러 마침내 저렇게 한 숟가락
청국장으로 남은
사람들

청국장 속에는 질기게 살아온
내 어머니의 어머니의 어머니들의
푸른 그림자가 남아 있다

청국장은 우리에게
한 숟가락의 흔적이다

이름

우일사 양복점 이웃에는 만리장성이 있다 입학식이나 졸업식이 끝나면 이층 중국집 구석방에서 먹던 짜장면은 빛바랜 멍 자국처럼 어두웠다 만리장성 뒤쪽으로는 순대와 푸성귀 생선을 팔던 손바닥만 한 성북동 시장이 자리 잡고 있었다 왁자지껄하던 시장 사람들은 다 성북동 이웃들이었다 시장 끝에는 성암탕, 건너편 남대문사장에는 우리 큰아이 돌사진이 오래 걸려 있었다 사진관 이웃 경일안경원에서 나는 첫 안경을 해 쓰고 중학생이 되었다 골목에 살던 최순우 선생은 몰랐지만, 내 초등학교 친구가 살던 그 두부골목을 지나 나는 혜화동 고개를 넘어 동양서림으로 시집을 사러 가곤 했다 내가 살던 3번지 골목 입구 심원쌀상회와 심원미장원을 지나 삼선교까지 걸어 고등학교를 다녔던 시간들

바람 부는 세상에 서 있는 몇 해 동안
그 이름들은 하나둘 사라져갔다
나는 무시로 사라진 이름들을 떠올리며 성북동길을 걷는다

우일사, 만리장성, 성북시장, 성암탕, 남대문사장, 경일안경원, 두부골목, 심원쌀상회, 심원미장원……

이름에 기대 살던 사람들은 다 어디로 갔을까?
치워지고, 지워지다 마침내는 닳아버린 고무신처럼 버려진 성북동의 이름들

성북동은 지워진 이름들의 숨결로
아득하고 아늑하다

골목을 걷는 법

살금살금, 하늘하늘
한옥 지붕 위를 걷는 고양이처럼
괴발디딤으로

때로는 담 너머 풍경에
꽁지발을

언덕을 오를 때는
가끔 물레걸음으로

노루걸음 말고, 불걸음도 말고
밭은걸음으로도 걷지 않기

지치고 힘들 땐
배착걸음에 게걸음이어도

느적느적, 어슬렁어슬렁
발맘발맘, 하느작하느작

걷다 보면 저기 보이네
먼 길, 우리가 살아온
그 길

묵호

할머니 몇이 살구나무 가로수를 털고 있었다
나뭇가지를 흔들 때마다
노을빛으로 물든 살구들이 후두둑 떨어졌다
묵호, 먹빛 바다로 굴러가는 살구들은
두어 돌 지난 아이 주먹만큼 실했다
가던 길을 멈추고 바라보는 내게
할머니들은 눈부시게 지는 노을빛을 한 움큼 안겨주었다
노을을 주머니 불룩하게 담고 등대로 가는 길,
삼본아파트 창을 열고 내다보던 아가씨가 손을 흔들며
먹빛보다 푸르게 중얼거렸다
'어떻게 사랑이 변하니!'*
걸음을 멈추고 바라보자, 아가씨는
산 아래 바다로 먼 눈길을 주고 있었다
길은 어달항을 향해 곤두박질치고,
천천히 바다가 저물고,
먹빛이 칠흑빛으로 바뀌어 가는 동안
파도 소리조차 없이 세상은 가라앉고 있었다
삼본아파트 옆 살구나무에서 굴러온

살구 몇 알만
칠흑의 바닷속으로 통통 굴러 사라지고 있었다

물고기들은 모두 어달에서 죽는다**

삶의 성급함에 지친 사람들은
묵호 바다에서 밤이 오는 시간을 지켜볼 줄 알아야 한다
누구에게나 살구처럼 시고 달고 아득한 순간이 있었으므
로

* 영화 〈봄날은 간다〉의 대사. 삼본아파트는 영화 속 여주인공이 살던 곳.
** 로맹가리 소설 제목 『새들은 페루에 가서 죽다』의 변주.

꽃피는 그대

그대에게 가는 길이
너무 멀다

잎 지고 오래
뙤약볕 눈부시고

바람 가끔
불었다

그대 떠나고 긴 시간
가슴에 허공이 흘렀다

그대, 천천히 흐르고
막막하게 피는 사람

홀로 있는 밤

해가 풀쩍 뛰어 건넌 하늘을
달이 살금살금 지난다

앞산에서 뒷산 사이는
손바닥 하늘

고라니 한 마리 지나가다
달빛에 홀려 멈춰선
마당

바람 잠시 불고
구름 슬쩍 걷히고

텅 빈 내 마음에
시간이 저 혼자 흐른다

나뭇잎 잠

어린 나뭇잎은 벌레 같다
잠자는 아기 같다

잠 깨면 일어나
여린 날개 팔랑거릴,
손바닥 살랑살랑 흔들어댈

잎 피기 전
저 순한 잠

감나무가 있는 한옥 지붕 위의 고양이

그까짓 감,
난 몰라

난 그저
마지막 가을 햇살이
더 좋아

조금만 해찰하면
바람 불고 눈 내릴 거야

햇살도
귀해질 거야

낙엽

돌 위에 소복이
마음 놓아두고

그대
어디로 떠나시나

사슴벌레

비를 피해 처마 밑으로 들어온
사슴벌레
손가락으로 톡 건드리자
죽은 체

가만 보고 있으니
꼬물딱 꼬물딱

비 그친 마당에 놓아주니
급할 일 없다며 느릿느릿 풀밭으로 간다

또 잔뜩 흐린 하늘
사슴벌레 마음 같은
비 오는 날

잠자리 비행기

잠자리 한 마리가
비행기를 끌고
파란 하늘을
가로질러 날아간다

잠자리 꼬리에서
하얗게 구름이 나온다

구름은
잠자리 똥이다

햇빛의 손

어머
어머
재 좀 봐

햇살에
손 내밀고
남 먼저 노랗게 물드는
저 녀석

햇살 빛깔로
투명한

먼저 철드는
아이 같은

가을 나뭇잎 좀
봐

땅거미 질 무렵

지구의 시간이 저물고
우주의 시간이 온다

산사나무꽃이
별이 되는 어름

먼 하늘가를
떠돌고 있을

또 다른 내가 그립다

늦은 봄꽃을 보며

떠날 때 떠날 줄 모르고
미적거리는 봄

가야 할 그대 못 놓아주고
아등바등 붙잡고 있는 나

흔적으로 남은
유월의 봄꽃 같은

우리

진달래

늦게 오는 봄이 더 늦은 골짜기에
참꽃, 아득하게 눈부시다

열예닐곱 갓 시집온 울 엄니
저 꽃그늘에서 많이 우셨으리

어느 핸가는 삼동서
그 꽃 아래서 찰칵
순간을 잡아매기도 하셨지

엄마 딴 세상 여행 가시고
스물두 해
여전히 그 꽃은 흐드러지고

환갑 넘은 아들은
그리워 그리워
그 꽃 따다 화전을 부쳤다

지나가다 꽃향기, 화전 내음에
슬쩍 찾아오시려나
부질없는 바람을
화전 꽃잎 한 장에 얹어보는

이 봄날

헌책을 버리며

잘 가라, 나의 청춘의 흔적들이여
열정에 들떠 헤매던
그 책방 순례의 기억들이여

오래 붙들고 있던
세월들이여

부디 다음 생에는
베어져 종이가 될
나무로는 태어나지 말기를

그냥 그리운 이의 집 앞에서
바람을 불러오는 푸른
그늘로 살아 있기를

안녕

새벽

길은 안개에 버무려져 있다

햇살이 피어오르기 전
저 길을 걸어가

안개에 젖은
밤꽃 내음을 맡고 싶다

또, 봄날은 간다

연분홍 치마 입은 철쭉 아가씨
봄바람에 싱숭생숭
백매도 영산홍도 흐드러지는데,
조팝은 왜 이리 폴폴 흩날리는지

봄날이 이토록 찬란하여
생은 또
그리 허망한 것인지

꽃은 피고,
잎은 지고,
저 혼자 깊어지는 하루는

막막, 막막 흐르네
흘러 가버리네

| 발문 |

아프고 아름답다가 아득해지는 시

김 영 춘(시인)

1. 아직 털어내야 할 어깨가 남았다고

너덧 해가 지나갔을까. 우리는 그가 살고 있는 횡성 보리소골에 다녀왔다. 최성수 시인의 건강이 시원치 않아서 벗들이 모이는 떠들썩한 자리에는 나올 수 없게 된 지가 오래되었기 때문이었다. 그 즈음해서 그의 시집 『물골, 그 집』을 읽게 되었는데 고향으로 돌아가서 써 내려간 시의 품이 넓고 잔잔했다. '언젠가는 만나게 되겠지' 하면서 참아왔지만 더 이상 견딜 수가 없었다. '이렇게 살아서 어디다가 쓸 것이여?' 해남의 경옥이가 특유의 남도 말로 우리를 부추기고 광주의 봉환이와 전주의 내가 마음을 합했다. 그렇게 해서 치악산을 넘어 최성수에게 갔다. 바람이 가끔씩 창을 흔들면서 눈을 흩뿌리고 가던 그 밤에 우리는 밀린 이야기를 나누고 나지막한 노래도 불렀다. 『물골, 그 집』의 시를 최성수와 우리 스스로에게 읽어주기도 했다. 그 사람에 관해서라면 모든 것을 알고 있을 것 같은 그의 아내와 아들이 우리들의 밤을 귀 기울여 주다가 잠이 들었다. 이곳 강원도 안흥으로 시집와서 살고 있는 베트남 댁 '람풍'을 만나게 된 것도 바로 그날이었다.

보리소골을 다녀온 지 얼마 지나지 않아서 세상은 팬데믹으로 빠져들었다. 지금도 코로나-19의 언저리를 다 벗어나지 못하고 있는 형편이지만, 건강한 사람들의 고초가 그러했는데 병고에 시달리면서 그만그만하게 유지해오던 그 사람이야 상황이 오죽했을까. 그러잖아도 동료 문인들이 모두 걱정하고 있었는데 얼마 뒤에 사경을 넘나들고 있다는 소식을 듣게 되었다. 걱정했던 코로나-19도 아니고 그동안의 합병증도 아닌 새로운 급성질환으로 여러 번의 큰 수술을 거쳐야 했다. 다행히 가장 안 좋은 상황까지 상상하고 있을 무렵에 이르러서야 그는 다시 살아나 우리 곁으로 돌아왔다. 그리고서 보내온 원고가 바로 오늘 우리가 읽고 있는 '람풍'의 시편들이다. 다행히도 그에게는 천신만고의 고개를 넘어설 힘 한 톨이 남아 있었다. 아마도 이 세상에 "아직도 털어내야 할 어깨가 남"아서였을 것이다.

아직 털어내야 할

어깨가 남았다고

나무는 자꾸 흔들리고

이제 견딜 수 없는
무게라고

나는 점점 아득해지고

–「삼월, 눈」 전문

강원도 횡성의 보리소골이니 3월의 눈이 무에 그리 대수일까만, 그래도 명색이 싹이 터 오르는 봄날인데도 눈은 내려서 나뭇가지를 덮는다. 가끔씩 바람이 불어와 나무를 흔들어 눈을 털어내는데 “이제는 견딜 수 없는 무게”라면서 “나는 점점 아득해”진다고 시인은 중얼거리고 있다. 나까지 덩달아서, ‘아득해진다’는 구절을 되뇌어 보다가 그가 서 있는 자리를 짐작해 보기도 했다. 시를 읽어 나가다 보니 그는 이미 잡다한 집착을 벗어 던진 가벼운 몸으로 아무렇지도 않게 삶과 죽음의 경계를 거닐고 있는 것처럼 보인다. 그것이 학교 밖으로 쫓겨나는 일도 감당하면서 살아야 했던 교육운동에서 온 것이든, 아니면 일생 동안 써온 시에 관한 사유를 통해서 도달한 것이든, 혹은 쉬지 않고 자신의 생명을 위협해오던 질병과의 고된 싸움을 통해서 온 것이든 굳이 구별하고 나눠야 할 필요는 없겠다. 살아오는 동안, 서로 다른 그것들은 시인의 몸 안에서 이미 하나가 되어 있을 것이기 때문이다. 아무튼 지금 그는 나무가 흔들릴 때마다 눈을 털어내듯이, 자신을 규정하고 있거나 비끄러매고 있던 잡다한 것들을 하나씩 떠나보내고 있는 것만은 확실하다. 죽음의 세계에 가까워질 만큼 가볍고 아득해진 시인이 소망하는 것은 새로운 피안의 세계가 아니라는 점도 분명해 보인다. 그가 아직도 눈길을 돌리지 못하고 바라보는 곳은 어린 시절 아버지와 함께 나무를 심고 밥을 나눠 먹던 '보리소골'이며 그 대상은 베트남에서 강원도의 산골로 시집온 '람풍'의 노동과 인간의 꿈이기 때문이다. 그런 점에서 이번에 묶어 내는 시편들은 아프면서도 아름답다. 삶은 람풍에게 가까이 있으나, 죽음은 최성수 시인에게 더 가까이에 있다. 시인도 람풍도 아픔을 안고 살아간다는 점에서는 같다. 그러나 람풍이 삶의 세계 안에서 아픔과 아름다움을 함께 피워내는 동안에 시인은 아득해져 가는 삶의 경계를 오가며 람풍의 삶을 바라보고 있다. 그의 시와 삶은 지금 어떤 집착도 없이 람풍의 삶을 공감하며 흘러가고 있는 것이다. 람풍을 키웠던 메콩강처럼.

2. 인간의 꿈과 노동, 그리고 눈물

람풍은 서른아홉 살의 젊은 베트남댁 어머니다. 어린

시절의 우리들처럼 농촌이어서 가난한, 가난하지만 식구는 많은 집에서 태어났다. 우리들의 누님처럼 가난했기에 가족을 위해 중학교 2학년 때 학교를 그만두어야 했다. 식당 일을 비롯한 이런저런 일을 해오다가 스무 살에 안홍에서 농사를 하는 지금의 남편을 만나 시집오는데, 교육을 통해 세상을 바꿔보고 싶어 하던 마을의 어른이자 선생인 최성수 시인과의 인연은 너무나 당연한 일이었을 것 같다. 보리소골을 찾아갔을 때 갈수록 시력이 희미해져서 운전이 불가능한 최성수 시인 대신에 우리를 데려간 사람이 바로 람풍이었다. 어찌나 명랑하고 상상력이 넘쳐나던지 함께 타고 오는 승용차 안은 곧바로 신선한 기운이 넘쳐흘렀고 이야기가 끊이지 않게 되었다. 마침 추운 계절이라서 농사일이 없었다. 사모님과 함께 음식도 준비하고 이야기도 같이 나누었다. 마치 친정 오라버니댁에 와서 잠깐 쉬다 돌아가는 여동생 같았다. 우리 일행은 람풍의 선하고 활달한 인간적 매력에 흠뻑 빠져서 이런저런 이야기를 나누다가 웃고 떠들고 서로 고개를 끄덕이기도 했다.

> 룽지중학교 2학년 3반 교실 문 앞에서
> 람풍이 고개를 돌린다
> 졸업조차 하지 못한 그 학교,
> 선생님과 부둥켜안고 울다

책 보따리 챙겨 나오던
그날이 떠올라서였을까?
스무 살, 물설고 낯선 '한꿔'로 시집온
람풍의 기억 속 그 학교는
영원히 그리운 나라
십육 년 만에 찾아가서도 여전히
아련하게 살아오는 그날
교실 명패를 바라보는 람풍의 눈은 젖어 있다
아이들 재잘거리며 매점으로 달려가는
롱지중학교 왁자한 복도 어디쯤
람풍은 지금도 서 있는 것일까?

살아가는 일이란 늘 자욱한 먼지,
송까이런 위를 떠다니는 부레옥잠 같은 것

휘청, 계단을 내려오던 그녀의 시선 끝
야자나무 잎을 흔들며
그날이 스쳐 흐른다

–「롱지중학교」 전문

글을 쓰는 사람이 되고 싶었다는 람풍의 또 다른 꿈은 베트남에 있는 가족들의 평화와 안녕이었으리라. 꿈이었을 뿐만 아니라 실제로도 그렇게 살아갔을 것이다. 람풍의 언니와 형부도 메콩강 주변의 마을에서 농사를 지으면서 살아가고 있었는데 람풍의 조카가 공부를 아주 잘해서 의대를 가게 되었다고 한다. 이 아이의 앞날을 위해서 부부가 매달렸지만 갈수록 빚만 크게 늘어나게 되었고 이 문제를 해결하려고 람풍은 노심초사했을 것이 분명하다. 최성수 시인의 다섯 번째 시집 발간을 축하하는 모임이 서울에서 있었는데, 그 자리에서 이런 이야기가 전해졌고 최성수 시인과 관계 맺고 있는 많은 사람들이 후원인으로 모여들었다. 인용한 시 「롱지중학교」는 람풍 조카의 공부를 후원하기 위하여 베트남을 방문하였을 때의 사정이 주요 서사 구조를 이룬다. 람풍과 함께 시장으로 물건을 사러 가던 길이었다고 한다. 어떤 학교 앞에서 잠시 걸음을 멈췄던 람풍이 이내 결심한 듯 교문으로 들어섰다. '롱지중학교'였다. 글을 쓰며 살고 싶었던 람풍이 다 마치지 못하고 떠나온 학교였다. "고개를 돌리는 람풍, 람풍의 눈은 젖어 있다." "선생님과 부둥켜안고 울다 책 보따리 챙겨 나오던 그날이 떠올라서였을까?" 학교를 바꿔보고 싶다고 생각하며 살아온 최성수 시인 같은 선생들의 가슴에는 울먹이는 아이 한두 명은 언제나 어디서나 안겨 있다. 하지만 괜찮은 시는 왜 꼭 눈물과 함께 오는 것인지 하는 생각을 하지 않을 수 없다. "살아가는 일이란 늘 자욱한 먼지, 송까이런 위를 떠다니는 부레옥잠 같은 것"이라지만 인간을 사랑하며 지켜주고 싶은 인간의 꿈은 눈물 속에서만 돋아나기 때문인 것일까?

람풍네 하우스 작업장 헌 박스 틈에
박새가 알을 낳았다
산더미같이 따 온 고추를 선별하는 사이
어미 새는 애가 달아 하우스 밖을 서성거린다
베트남 남쪽 먼 땅에서 날아온
람풍과 투하, 그들의 생도 저 새들 같은 것이었을까?
고추 고르는 손이 자꾸 허방을 짚는다
둥지를 떠나 낯선 세상으로 날아갈
아직 태어나지 않은 박새 새끼처럼
람풍도 투하도 마음 시린 어느 날 메콩을 떠났다
통하지 않는 말보다 와닿지 않는 사람살이가
더 막막했던 시간들을 지나
서로 마음 기대며 친자매처럼 살아가는,
두 베트남댁 손길에
따 온 고추들 가지런해진다
올망졸망 박스 안 박새들도 깨어나 어슷비슷 살아갈 것이다
그러니, 근심하지 마라, 상처받지 마라

람풍과 투하가 고추 고르다 자꾸 박새 둥지에 눈길을 건넨
다

만물 고추가 박스에 하나하나 담기는 사이
두 베트남댁도 새가 되어
훨훨 메콩 언저리를 날고 있다

—「박새 날다」 전문

메콩강의 하류는 비옥하기 그지없는 땅이 펼쳐지고 있는 곳이어서 베트남의 곡창지대를 이룬다. 람풍과 투하에게는 그곳이 조국이며 그곳이 고향이며 그곳이 친정이며 그곳이 그들의 가난한 젖줄이리라. 그곳이야말로 그리움의 근원이겠다. 곡창지대의 가난이라고 하는 역설은 이미 우리나라의 농촌에서 경험했거나 경험하고 있는 것이기 때문에 정도의 차이가 있다고 할지라도 굳이 설명할 필요는 없을 것이다. 두 사람은 메콩강을 떠나서 강원도 산골로 시집왔다. 같은 날 같은 시간에 온 것이 아닌데도 같은 마을에서 일하며 비닐하우스 안의 박새처럼 새끼를 보살핀다. 서로를 의지하며 어머니가 되어 간다. "애가 달아 하우스 밖을 서성거리"는 어미 박새를 보면서 아득한 곳에서 거닐고 있던 시인이 오늘따라 단호한 목소리를 낸다. 어미 박새야 "너희들의 손길에 따 온 고추들이 가지런해"지는 것처럼 "올망졸망

박스 안 박새들도 깨어나 어슷비슷 살아갈 것이다" "그러니, 근심하지 마라, 상처받지 마라"!

투하, 저것 좀 봐
고추 지지대 위 손톱만 한 흙도 땅이라고
비집고 뿌리내린
풀이 불쌍하지 않아?
너나 나 닮지 않았어?
물설고 낯설은
한국하고도 강원도 이 산골이
어쩌면 우리에겐 저 고추 지지대 끝
흙 한 줌 같은 곳 아닐까?

람풍이 고춧대 끝에 매달린
풀을 쓰다듬는다
고추 따다 흙 묻은 손 털지도 않은 채
투하도 아련한 눈길을 얹는다
두 베트남댁 눈가에 이슬이 맺힌다

바람 한 점 없는
첩첩 산골 하늘만 눈부시다

—「두 여인」 전문

밭고랑 위에 비닐을 덮고 고추를 심은 후에 지지대를 박았다. 그 틈을 비집고 나온 흙 위로 뿌리내리고 살아가는 몇 포기의 풀잎에 메콩강을 떠나 온 람풍의 눈길이 머물렀다. "너나 나 닮지 않았어?" "고추 지지대 위 손톱만 한 흙도 땅이라고" "람풍이 고춧대 끝에 매달린 풀을 쓰다 듬는다 / 고추 따다 흙 묻은 손 털지도 않은 채 / 투하도 아련한 눈길을 얹는다 / 두 베트남댁 눈가에 이슬이 맺힌다" 이 시 구절을 놓고 앞에서 했던 말을 또 한 번 반복하지 않을 수가 없다. 괜찮은 시는 왜 꼭 눈물과 함께 오는 것인지? 아프고 아름답다. 최성수의 첩첩산중 보리소골의 하늘빛이여.

3. 람풍의 하루는 가득 차오르고

깨를 털고 빈 들을 바라보던 람풍이
주섬주섬 깔개를 걷고 돌아서며
저녁노을같이 속삭인다
"논아, 깨야, 고마워.
깔개야 너도 하루 동안 수고 많았어.
내년에도 부탁할게."

국도 확장에 편입돼 없어질 배추밭에서
쌈배추를 따고 일어서던 람풍이
배춧잎 수북한 밭을 무연히 바라보다
해 뜰 무렵 이슬 같은 말을 건넨다
"그동안 고생 많았어, 배추밭아.
이젠 편히 쉬어. 땀비엣"

그녀의 신은 세상 어디에나 존재한다
밥 주는 소도, 여무는 고추도, 옥수수꽃을 흐르는 바람도
다 그녀의 신이다
신은 친구다, 그 자신이다

볏짚을 실은 트럭 창 너머로 오늘은
대설의 신이 손을 내밀었다

람풍의 하루가 또 신성으로
가득 차오른다

–「람풍의 샤머니즘」 전문

보리소골에 갔던 날, 람풍이라고 하는 상상 밖에 있는 새로운 유형의 사람 때문에 우리는 모두 깜짝 놀라고 있었다. 그래서 람풍이 집으로 돌아간 뒤에 최성수 시인에게 묻지

않을 수 없었다. 도대체 람풍은 어떤 사람이야? 한참을 생각하던 그가 대답했다. 음~ 람풍은 메콩강 같은 사람이야. 굽이굽이 흘러가는데 흐름을 멈추는 법이 없지. 이 대목에서 우리는 람풍의 끈질긴 생명력이나 끝없는 낙천성에 대하여 이야기를 나눴던 것 같다. 하지만 그것이 무엇을 의미하는 것인지는 미루어 짐작했을 뿐이지 분명하게 알게 된 것은 아니었다. 그런데 나는 오늘에서야, 「람풍의 사머니즘」을 읽다가 그날 밤 최성수 시인이 우리에게 말하고 싶어 했던 람풍이라는 사람의 의미에 도달하게 되었다.

"그녀의 신은 세상 어디에나 존재"하고 있어서 "밥 주는 소도, 여무는 고추도, 옥수수꽃을 흐르는 바람도 다 그녀의 신이"었을 뿐만 아니라 "신은 친구"였고 "그 자신"이었다는 구절 안에 그 비밀이 숨어 있었다. "통하지 않는 말보다 와닿지 않는 사람살이가 더 막막했던 시간" 속에는 언제나 힘든 농사일이 기다리고 있었지만 늘 즐겁게 맞아들이는 그녀였다. "밥 주는 소도, 여무는 고추도, 옥수수꽃을 흐르는 바람도 다 그녀의 신이"었고 신은 다정한 친구이기조차 했기에 힘든 일 안에서도 그녀의 호기심과 상상력은 멈추지 않은 채 흘러갈 수 있었던 것이다. 오히려 주변을 위로하기까지 했던 것이다. 람풍의 생명력이나 낙천성은 자신의 친구인 신들과 짝해서 지내오는 동안에 스스로 자신의 삶이 되어가지 않았을까.

"그동안 고생 많았어, 배추밭아. 이젠 편히 쉬어. 땀비엣" "람풍의 하루가 또 신성으로 가득 차오른다"는 구절을 여러 번 읽어보다가 이 글을 마쳐야겠다고 원래는 생각하고 있었다. 그런데 마음을 너무 아프게 했다는 이유만으로 남겨두고 온 시 한 편이 자꾸만 나를 놓아주지 않고 있다. 어쩔 수 없이 다시 돌아가서 들여다볼 수밖에 없다.

젖 떼느라 어미와 갈라놓았던
송아지가 울타리를 탈출했다

목줄을 걸자 송아지는
우리를 한 바퀴 돌며 버틴다

뻗대는 송아지 목줄을 당기다
람풍이 스르르 줄을 늦춘다

스무 살 어린 나이
엄마 곁을 떠났던

송아지 같은 시간이
되살아나서였을까?

송아지도 발을 멈추고
람풍을 물끄러미 바라본다

잠시, 둘의 눈에 눈물이 어렸다

억겁 같은 시간이
순간, 흘러갔다

—「눈동자」 전문

송아지가 발을 멈추고 물끄러미 바라볼 때 잠시, 송아지와 람풍의 눈에 눈물이 어렸다고 한다. 억겁 같은 시간이 순간, 흘러갔다고 한다. 시인은 아득한 저 너머의 경계를 거닐어야 된다는 핑계로 자신의 눈에 어린 눈물은 쏙 빼놓았겠지만, 이 글을 쓰고 있는 나는 그러지 못한다. 나에게는 억겁 같은 시간이 순간, 그들과 함께 흘러가고 말았다. 하지만 그것은 어쩔 도리가 없는 일이었다.

람풍

초판 1쇄 발행 2023년 05월 25일

지은이 최성수
펴낸이 조기조

펴낸곳 도서출판 b
등　록 2003년 2월 24일 (제2006-000054호)
주　소 08772 서울시 관악구 난곡로 288 남진빌딩 302호
전　화 02-6293-7070(대) 팩시밀리 02-6293-8080
누리집 b-book.co.kr 전자우편 bbooks@naver.com

ISBN 979-11-92986-04-3　03810
책값 12,000원